D1060416

Voor Saiko, Tamao en Léo
ML

Voor Emile en Violette
FB

Michaël Leblond & Frédérique Bertrand
Meneertje Streepjespyjama in New York
© 2011 Editions du Rouergue, Arles, Frankrijk
© 2012 voor het Nederlandse taalgebied:
Clavis Uitgeverij, Hasselt – Amsterdam – New York
Creatie: Frédérique Bertrand (illustraties) en
Michaël Leblond (tekst), met medewerking van Frédéric Rey
Oorspronkelijke titel: *New York en pyjamarama*
Oorspronkelijke uitgever: Editions du Rouergue, Arles
Trefw.: beweging, magie, New York
NUR 273
ISBN 978 90 448 1815 4
D/2012/9424/113
Alle rechten voorbehouden.

www.clavisbooks.com

MENEERTJE STREEPJESPYJAMA

in

NEW YORK

Michaël Leblond & Frédérique Bertrand

– Goeienacht, meneertje.
Doe het licht nu maar uit.

– Ja, zo meteen.
Goeienacht.

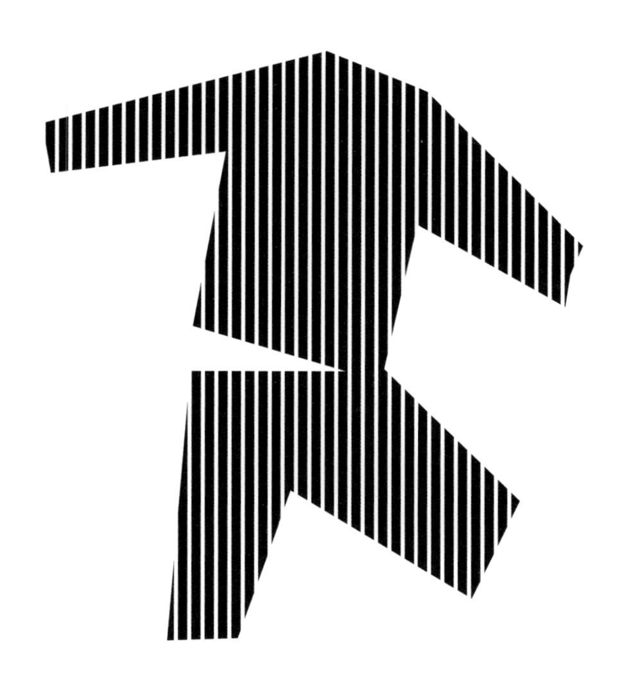

Het is donker ...

Maar kijk, als meneertje Streepjespyjama
in zijn magische pyjama onder zijn deken ligt,
kan hij razendsnel wegflitsen ...

Waarnaartoe?
Kom mee!

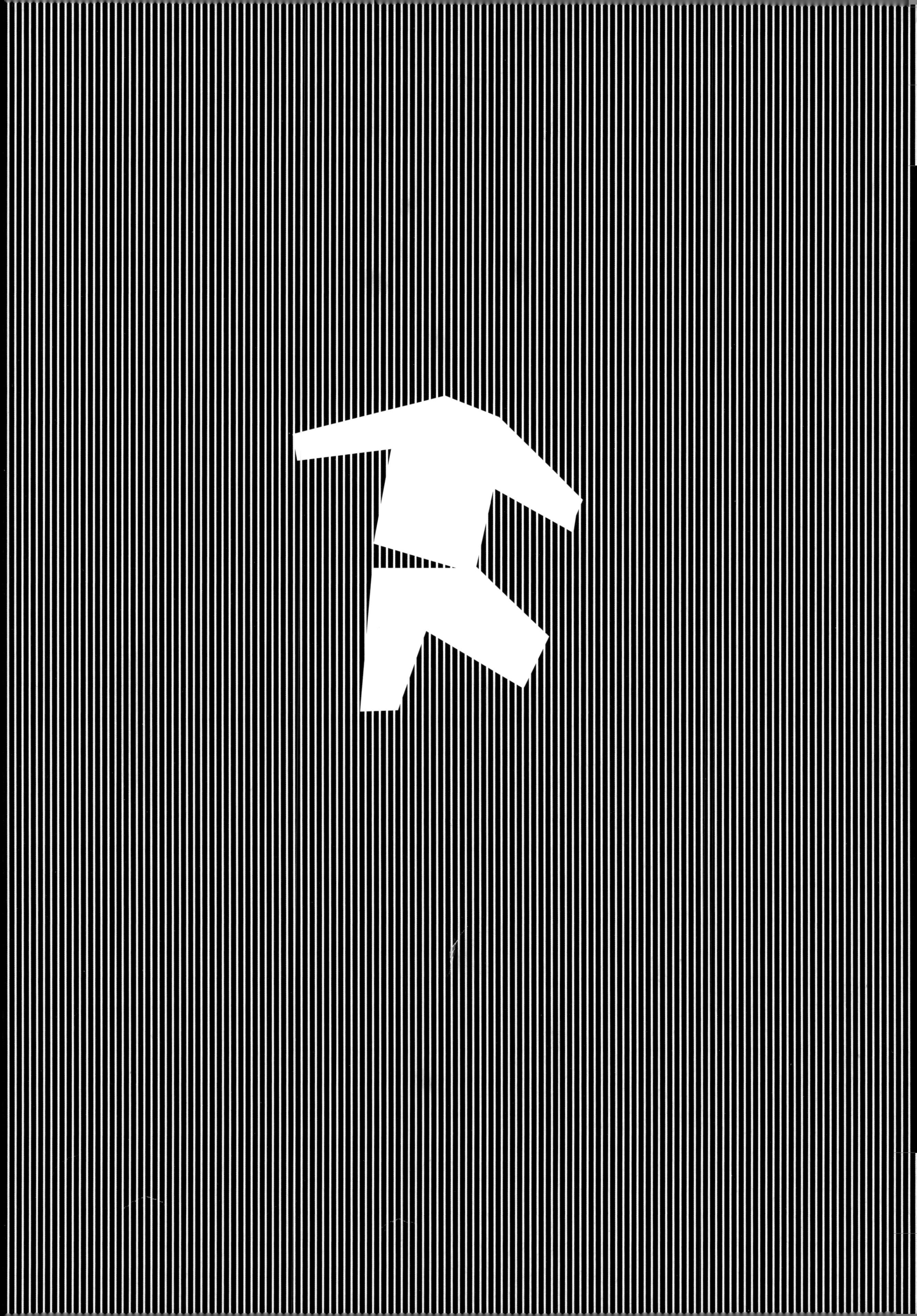

HOPLA!

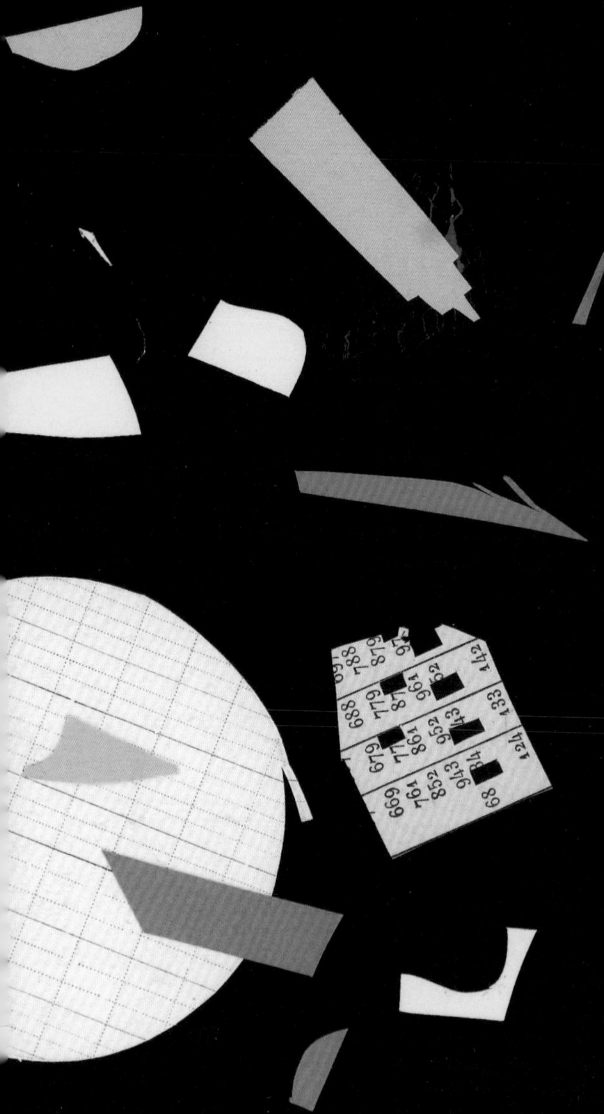

We mogen mee in de droom …

van meneertje Streepjespyjama!

Daar gaan we.

– Waar zijn we?

Alle wegen leiden naar New York.

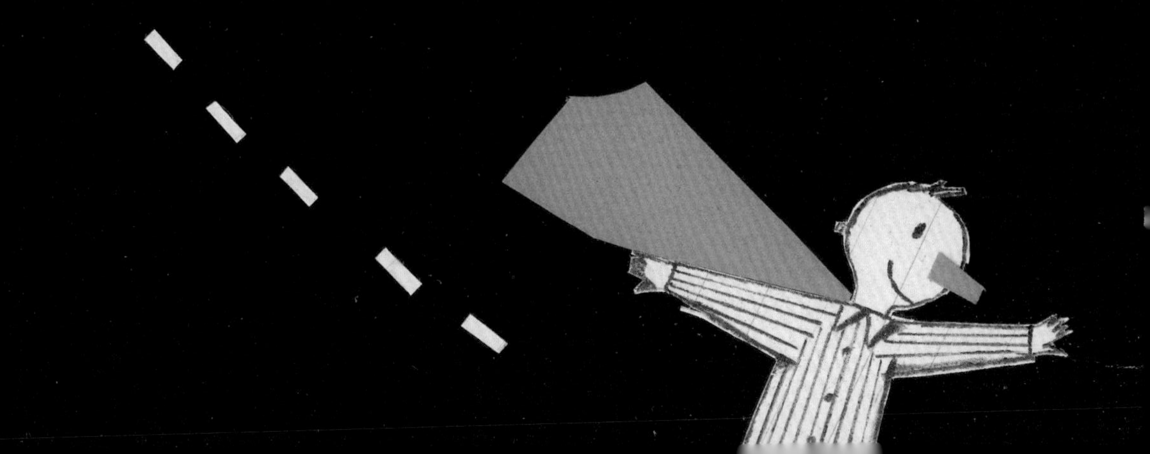

TUUUT! TI-TAA-TI-TAA!
VROEM!!

– Ja hoor, zo klinkt New York.

VROEM

1

Kijk nu toch eens.
De warenhuizen met al die lichtjes en met
het gewemel van mensen die elkaar kruisen,
op de roltrappen naar boven of naar beneden.

Wat een mierenhoop!
Ongelooflijk hoe deze
stad in beweging is.

SHOPPING!

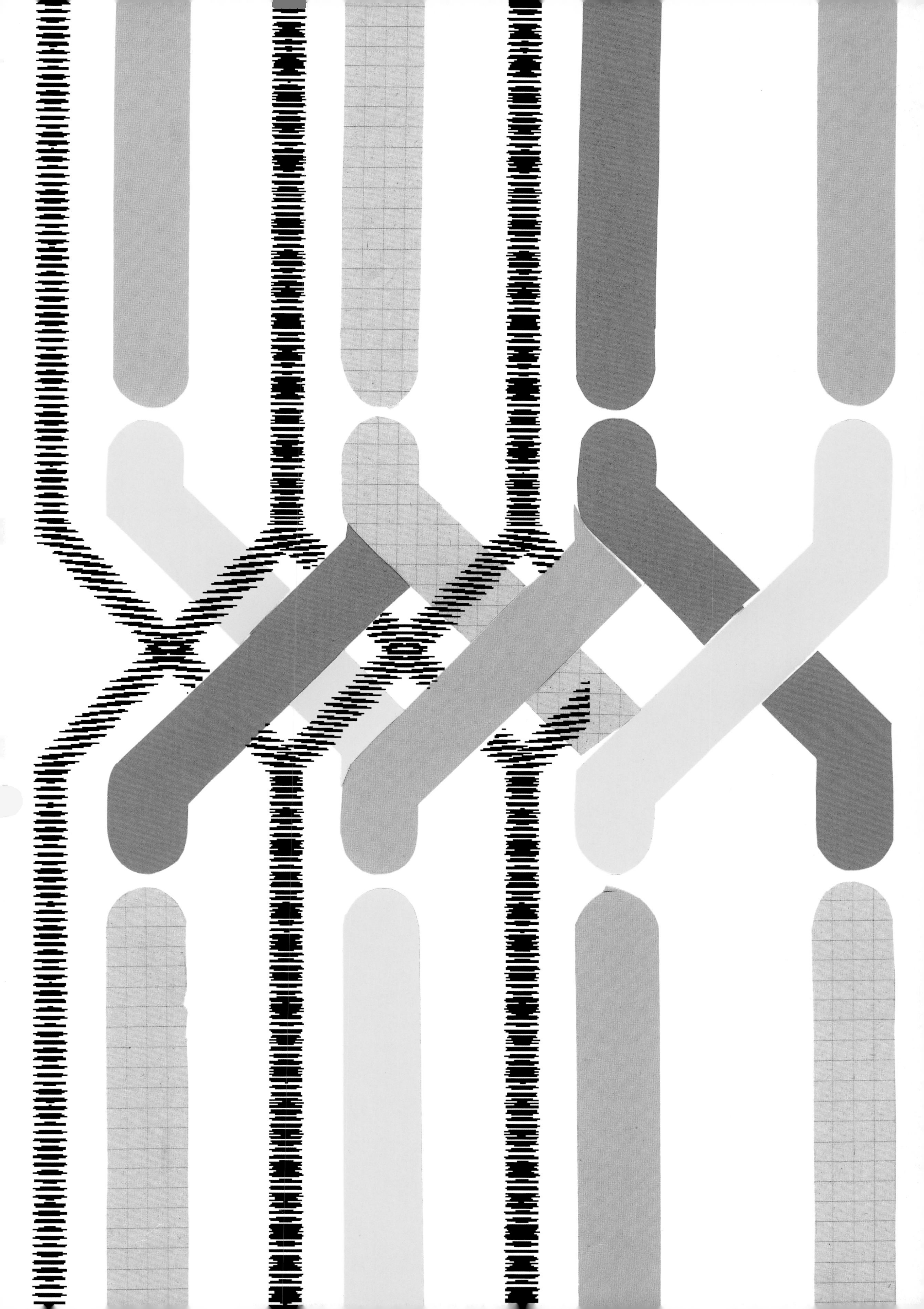

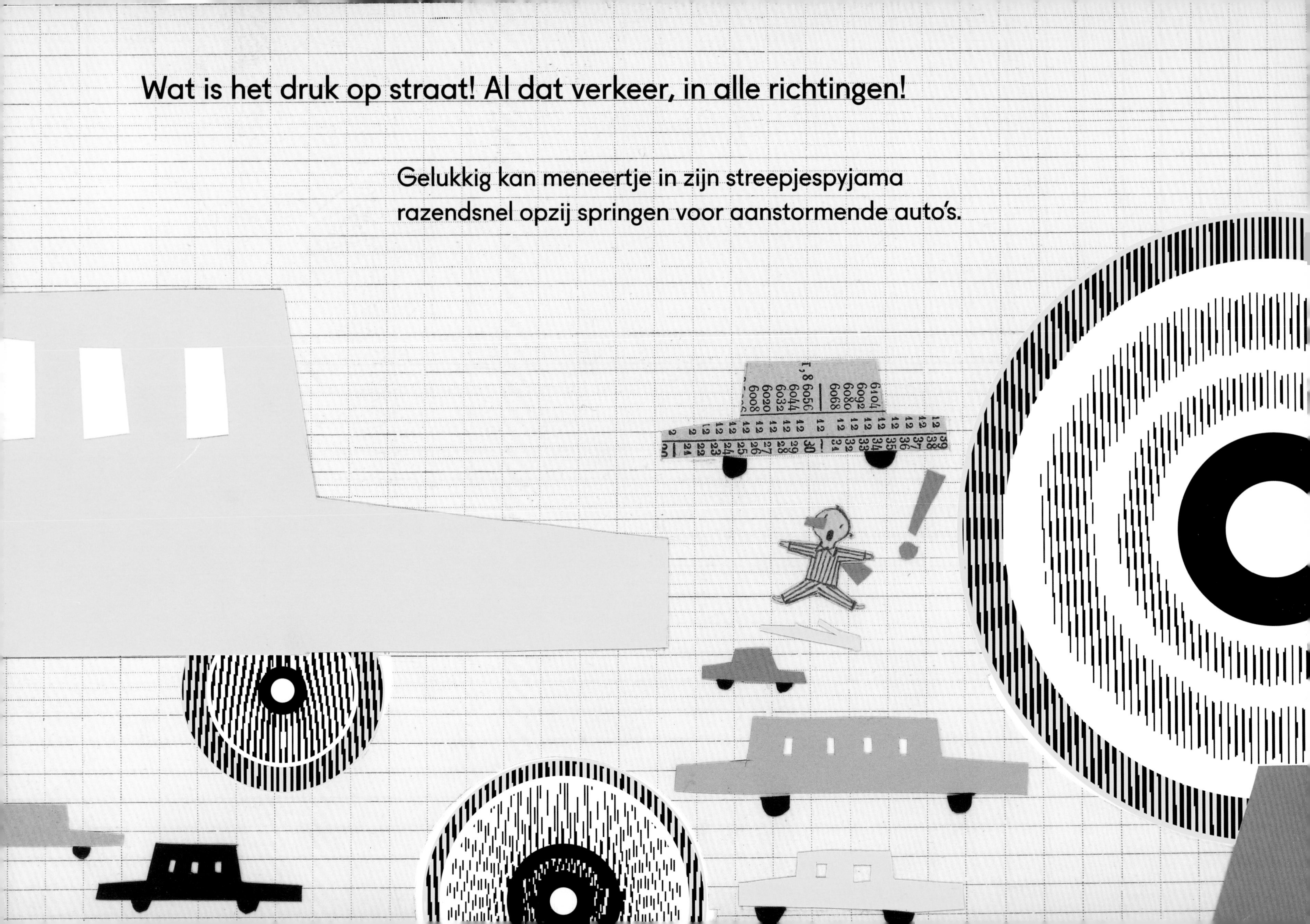

Wat is het druk op straat! Al dat verkeer, in alle richtingen!

Gelukkig kan meneertje in zijn streepjespyjama razendsnel opzij springen voor aanstormende auto's.

8180
8206
8054
8079
7978

SHHH ...

Hé, hoor je dat geritsel in de bomen?

We zijn in Central Park,
het grootste park van New York.
Oef, hier is het veel rustiger.

En nu zijn we opeens op Broadway,
de levendigste straat van
heel New York.

Een rij wachtenden staat klaar
om een show te gaan bekijken.

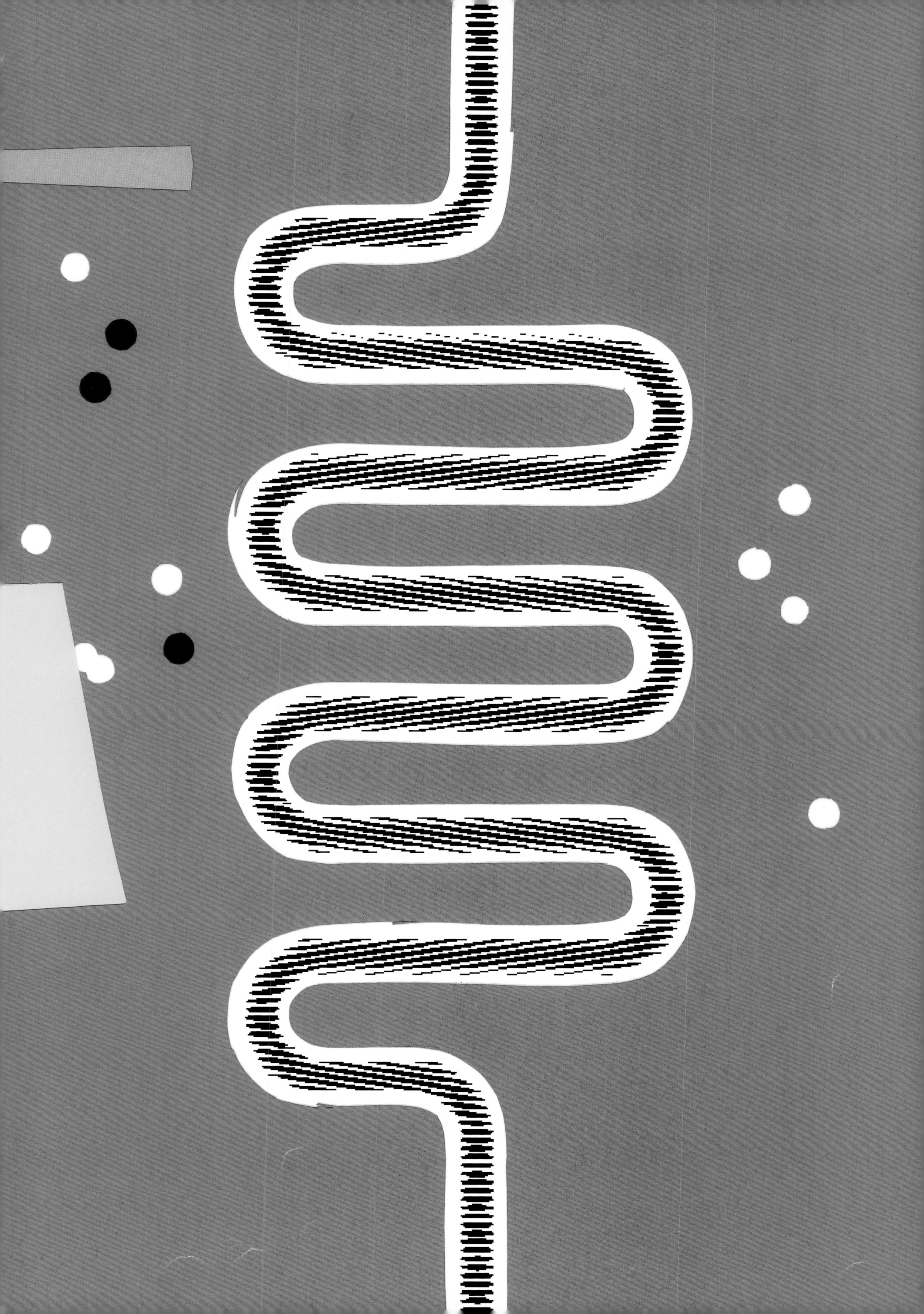

De nacht is gevallen.

De stad wordt nog wonderbaarlijker
met al die lichtjes.

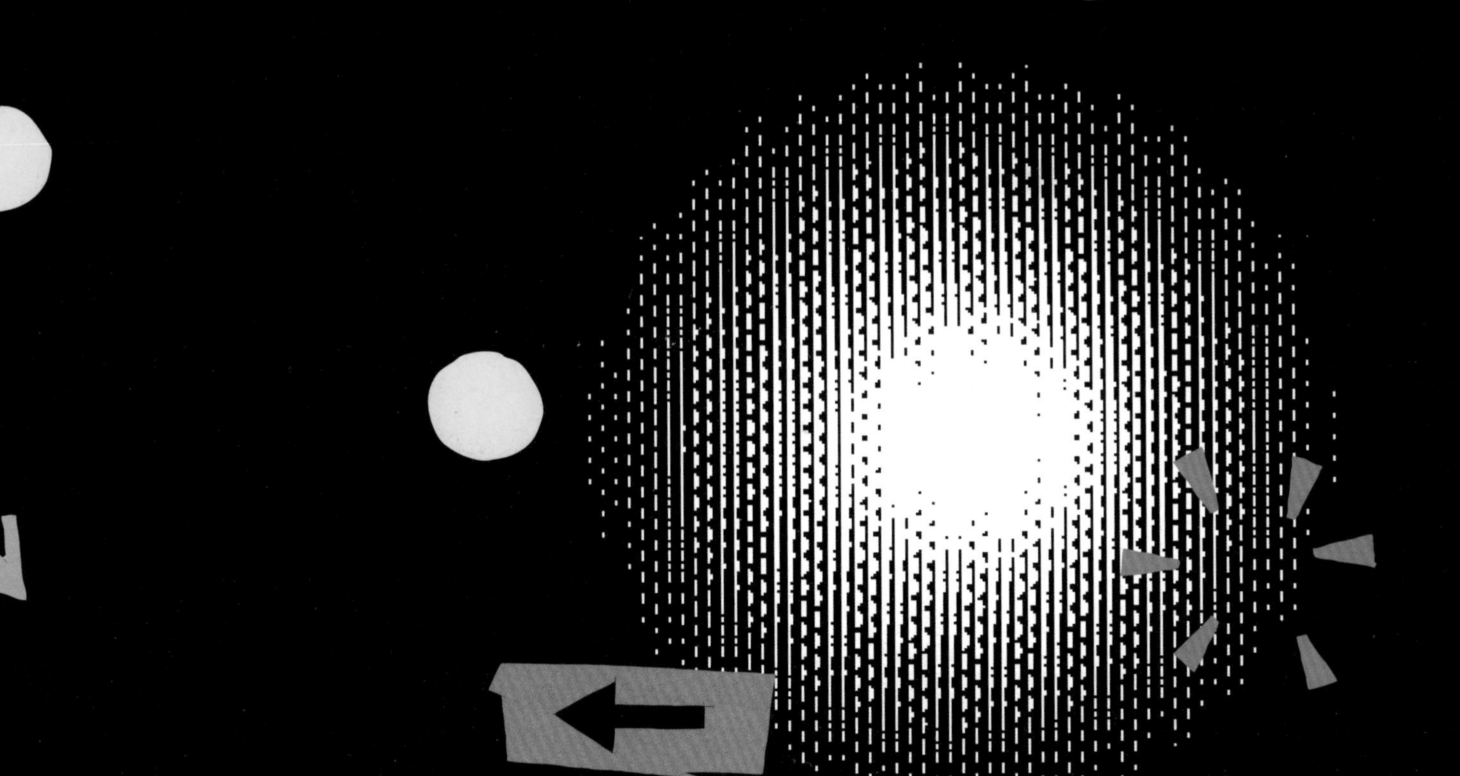

Wat is dit mooi!

Hé, wat nu?
Dat woud van wolkenkrabbers maakt me duizelig ...

Ja, New York is echt een ongelooflijke stad.
Maar je hebt wel wat tijd nodig om alles te zien ...

TIK TAK

– Opstaan!

– Goeiemorgen, meneertje.

– Goeiemorgen.

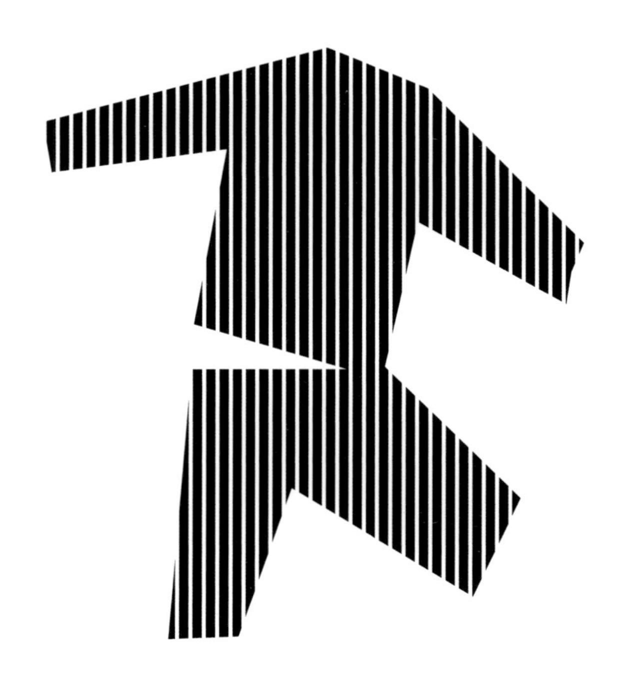